TEXTE DE | ILLUSTRATIONS DE
Élise Turcotte | Daniel Sylvestre

ROSE

DERRIÈRE LE RIDEAU DE LA FOLIE

la courte échelle

Les éditions de la courte échelle inc.
160, rue Saint-Viateur Est · Bureau 404
Montréal (Québec) H2T 1A8
www.courteechelle.com

Révision : Lise Duquette
Direction artistique : Jean-François Lejeune

Dépôt légal, 3ᵉ trimestre 2009 · Bibliothèque nationale du Québec

Copyright © 2009 Les éditions de la courte échelle inc.

La courte échelle reconnaît l'aide financière du gouvernement du Canada
par l'entremise du Programme d'aide au développement de l'industrie de
l'édition pour ses activités d'édition. La courte échelle est aussi inscrite
au programme de subvention globale du Conseil des Arts du Canada et
reçoit l'appui du gouvernement du Québec par l'intermédiaire de la SODEC.

La courte échelle bénéficie également du Programme de crédit d'impôt
pour l'édition de livres – Gestion SODEC – du gouvernement du Québec.

Imprimé en Chine

e voudrais
pouvoir faire ce
qui me plaît derrière
e rideau de la folie.

Ainsi, je m'occuperais
des fleurs toute la journée,
e peindrais la douleur,
'amour, et la tendresse.

e rirais de tout cœur
de la stupidité des autres
qui s'exclameraient: la pauvre,
elle est folle! (Surtout,
e rirais de ma stupidité)

Je construirais un monde
qui tant que je vivrais
serait en accord avec
tous les mondes...

FRIDA
KAHLO

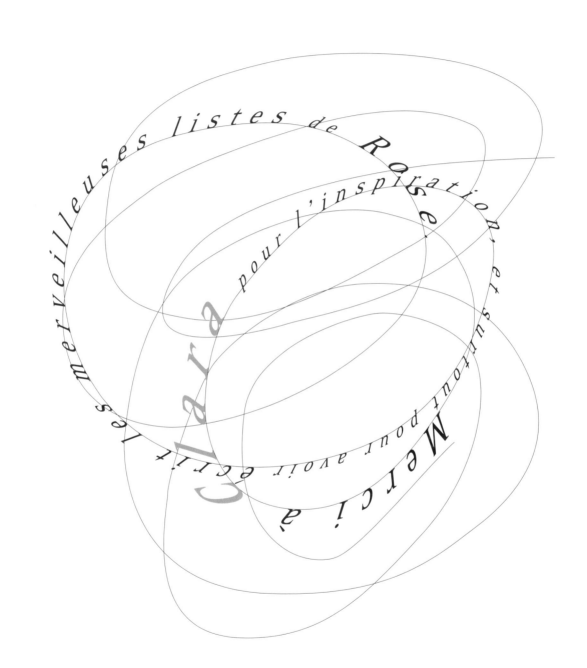

merveilleuses listes de Rose, pour l'inspiration, et surtout pour avoir écrit les Merci à Clara pour l'inspiration.

suis entrée dans la rivière

SPECTACULAIrEMENT STUPIDES

Tête basse comme un chat qui meurt
Je suis arrivée au pavillon des hallucinés
Le jour même où l'on a trouvé la femme-sauvage
– ainsi nommée par les journaux –
Elle marchait le dos courbé
Dans la forêt du Cambodge
Ne parlant plus une seule langue connue
Un homme a cru voir le fantôme
De sa petite fille disparue

Comme elle je perds parfois le langage
Et mon âme s'en va
Du côté de la rivière

MAIS JE NE SUIS PAS reCONNUE

Le gardien possède un immense trousseau de clés
Qu'il agite lorsque Trevor, le garçon amoureux
De Marilyn Manson,
Sort pour fumer une cigarette
Qu'il écrase de son pied lourd
Avant de se mettre à tirer des oiseaux
Sa carabine pointée vers le ciel

Loin du pavillon des enfants
Qui me rappelle un passé orageux
Je cours dans la petite forêt
En attendant que quelqu'un m'attrape
Me retienne
De tomber encore plus bas
Dans la mire du chasseur

JuLie : troubles obsessionnels compulsifs,
pleure souvent, introvertie.
Cheveux bruns longs qu'elle brosse tout le temps.
Est arrivée deux semaines avant moi à l'hôpital de jour.
14 ans.
Légèrement anorexique.

DanieL : ancien gothique, le vétéran ici, pas sûr de lui.
Il rit nerveusement.
Écoute Nine Inch Nails, chose qu'il a en commun avec moi.
Cheveux noirs.
16 ans.
Jour.

Trevor : a fait une psychose toxique.
Chasse les oiseaux avec une carabine imaginaire.
Essaie de me faire peur.
Ça marche !
Même si je le trouve stupide.
15 ans.
Hôpital jour et nuit.

stéphanie : arrive au beau milieu de sa psychose toxique.
Obsédée par Trent Reznor, le démon selon elle, et Billie Joe, l'ange.
Personne ne la comprend.
Cheveux courts teints en bleu.
Ressemble à une poupée végétarienne.
16 ans.
Jour.

cindy : a juste 13 ans, me semble plus vieille.
Se fâche souvent, mais est gentille avec les gens qu'elle aime. Moi.
Fume beaucoup, mange beaucoup.
Écoute les Dead Kennedies Peut crier pendant des heures et se frapper la tête sur les murs.
On l'emmène alors aux soins intensifs.
Jour et nuit.

PERSONNAGES

ROSE : moi. Ancien prénom : Marie-France. Ennuyante comme une petite vache beige. Voudrait vivre dans une maison entourée de montagnes. Folie : obsédée par des idées noires, des visions qui se répètent à l'infini. Déteste la plupart des gens de son âge. Préfère l'hôpital à l'école où elle a reçu des millions d'attaques verbales de la part des petites camarades de classe parfaites ! 14 ans. Voudrait être un personnage buvant un verre de punch dans un film de Sofia Coppola, son héroïne. Voudrait, comme elle, dessiner une ligne de vêtements et faire des photos. Ou peindre d'aussi beaux tableaux que Frida Kahlo. Souhaite aller aux soins intensifs avec Cindy. Différente des autres : ici, tous veulent guérir sauf elle. Jour.

Enfin sortie de la prison
Où je rasais les murs
En prévision des coups bas

(Arriver à l'école à l'aube
Pour ne croiser personne
Retourner à la maison
Ensanglantée
Rêver à Hitler donnant des ordres
Dans une maison de campagne vide
C'est si noir, si noir)

J'ai peur maintenant
D'être dans ma tête
La troisième guerre mondiale
Approche
Et la psychiatre me réprimande
Parce que je ne me soigne pas

Est-ce si grave d'avoir été tuée
Par des mouches, des cyclopes
Et des fillettes enragées ?

ROSE?

JE VAIS MOURIR.

M'ont tuée.

Pourquoi?

J'entends des voix. Fais de beaux cauchemars, dit-elle.

Pers

on ne   ne   me   c r o i t.   Je suis obligée de parler.

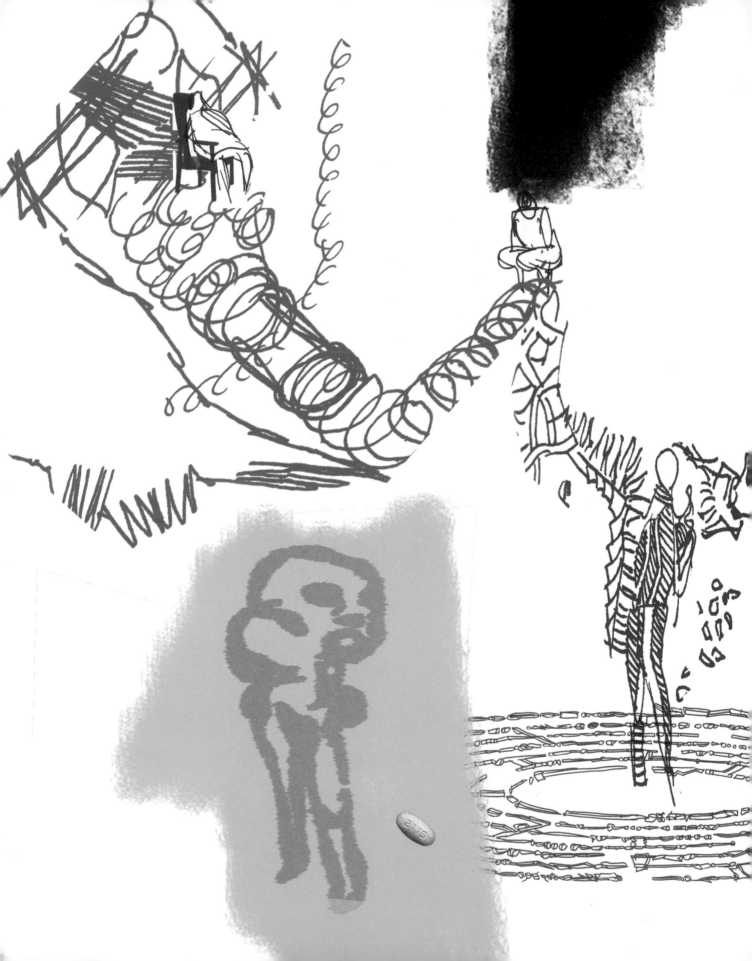

pourquoi ?

Nous sommes réunis dans la salle commune.
Trevor rit.
Cindy grogne dans un coin.
Les autres attendent qu'il se passe quelque chose.

Rose se lève, marche de long en large, des idées plein la tête.
Des poèmes se forment et disparaissent :
Des poissons muets qui plongent au fond de la rivière.

Rose est si fatiguée.
Elle vous regarde comme un petit chat qui a perdu la voix.
Dans ses rêves, les beaux, elle a un œil rouge et un œil doré.
Ses cheveux sont noirs et brillants.

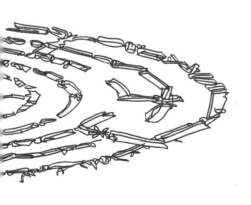

le cas Trevor

JULIE ET SA POUPÉE

on peut garder les bouteilles ?

LES LISTES DE ROSE

L'ART CLASSIQUE DE LA Renaissance

LES ALIMENTS AMERS

Les choses que je déteste

Les coupes de cheveux à la mode
Les discussions inutiles
Les aliments amers
Les questions sur ce qui est réel et ce qui ne l'est pas

Les chambres vides et propres des enfants très sages
   [en d'autres mots, anorexiques ou avec un TOC]
L'art classique de la Renaissance
Les centres sportifs habités par des colonies de fières
   habitantes de la rive sud prétendant être Madonna

LE SEL QUI FAIT FONDRE LA NEIGE L'HIVER

LES AMATEURS
DE VIN .
BOURGEOIS
AYANT DES
PROPOS
ÉTRANGEMENT
PROGRESSISTES

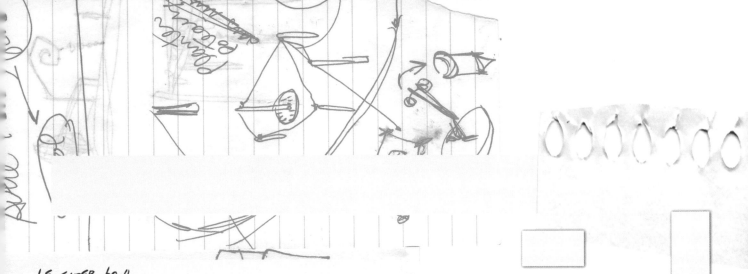

LE SUPER bowl
LE militantisme vide et les débats politiques
LE chocolat noir, les caramels sans sucre, le fromage bleu, les légumineuses et le coke diète
LES amateurs de vin bourgeois ayant des propos étrangement progressistes
LES faux rappeurs qui se tiennent au Poulet Frit Kentucky   OU AU McDonald
                                                             SANS RIEN ACHETER

LE SEl qui fait fondre la neige l'hiver

LES choses qu'on a envie de manger

LE ciel d'hiver
LA neige qui vient de tomber
LES emballages dans les épiceries asiatiques
LES piercings en faux diamants de Cindy
L'atmosphère des rêves, le samedi
LA lingerie scintillante des sex-shops de la rue Sainte-Catherine
LA panoplie de bouteilles de vernis à ongles chez Jean Coutu

LES miettes de biscuits sur une couverture colorée pendant un moment de bonheur
LES cubes de sucre brun à côté du café sur le bureau de la travailleuse sociale placide
LES pages couverture de bandes dessinées

LES yeux bleus de Kurt Cobain
LES saris pastel de la voisine indienne
LES pilules rouges et jaunes dans les films de prévention contre la drogue
LES médicaments des autres, toujours plus colorés que les miens
LES chocolats édition limitée qu'on trouve au Dollarama
     ou dans les marchés moyen-orientaux

LES choses qui font honte

LES PARCS D'ATTRACTIONS
LES CABANES À SUCRE, DISCO OU NON
LA FAUSSE JOIE DE VIVRE DU GARDIEN DE SÉCURITÉ

LES COUPLES MARIÉS AVEC ENFANTS À 22 ANS
LES REVUES POUR ADOLESCENTES
LES SCÈNES D'AMOUR HOLLYWOODIENNES

LES BABY-BOOMERS PRÉTENDANT TOUT CONNAÎTRE PARCE QU'ILS
    ONT FAIT UN VOYAGE À CUBA DANS LEUR JEUNESSE
LES LIVRES DE CUISINE EXOTIQUE ET SANTÉ DE CES BABY-
    BOOMERS, AU FOND D'UNE BIBLIOTHÈQUE, QUE PERSONNE
    N'UTILISE
LES FAUSSES BISEXUELLES DE 13 ANS
LES FILMS D'ANIMAUX [PARLANT PLUS SOUVENT QU'AUTREMENT
    D'UN GROS CHIEN STUPIDE, OU D'UN CHEVAL QUI SENT
    PROBABLEMENT LA MERDE]

MARY-KATE ET ASHLEY OLSEN
LES COLLECTIONS DE LIVRES MEDIEVAL FANTASY QUI SE VENDENT
    COMME DES PAQUETS DE PAIN GADOUA

les fausses bisexuelles de 13 ans ♀ ♂

Mary-Kate et Ashley Olsen

Les revues pour adolescentes

LES PARCS D'ATTRACTIONS

LES CABANES À SUCRE, DISCO OU NON

La fausse joie de vivre du gardien de sécurité

LES choses douteuses

LA COLLECTION D'EMBALLAGES DE KRAFT DINNER ET DE CROUSTILLES DE TREVOR
LE PSYCHOLOGUE QUI AFFECTIONNE PARTICULIÈREMENT LES ANOREXIQUES
LE TIROIR FERMÉ À CLÉ DE CE PSYCHOLOGUE QUI CONTIENT PROBABLEMENT DES DÉFILÉS
    DE MODE DE MAILLOTS DE BAIN PRIS DANS VOGUE AVANT LE RÈGLEMENT
    SUR LE POIDS DES MANNEQUINS.

LES SANDWICHS DANS LES DISTRIBUTEURS AUTOMATIQUES
LES SEINS INÉGAUX DE L'AFFREUSE VENDEUSE À LA CAFÉTÉRIA
LA COUCHE DE GRAISSE SUR LE VISAGE ET LES MAINS DES GARÇONS
LA PRÉTENDUE HOMOSEXUALITÉ DE PIERRE-GILLES, UN LAVALOIS PARTICIPANT
    À LA NOUVELLE SAISON DE LOFT STORY

LE DESSERT MOUSSEUX D'UN ROSE CHIMIQUE SANS AUCUNE PARENTÉ
    AVEC LA FRAMBOISE
L'HOMME GRASSOUILLET VÊTU D'UN COMPLET GRIS QUI VIENT CHAQUE JOUR
    EN PRÉTEXTANT VISITER SON FILS, POUR SE RENDRE EN DOUCE
    DANS LE BUREAU D'ISABELLE, L'INFIRMIÈRE BLONDE.

LES SEINS INÉGAUX DE L'AFFREUSE VENDEUSE À LA CAFÉTÉRIA

Les choses qui rendent fou

La voix de Marlon Brando dans le film Apocalypse Now
   (de Francis Coppola, le père de Sofia)
Les avertissements [contre les suicides amoureux,
   les boucles d'oreilles clinquantes, les nombrils montrés,
   les grossesses non désirées]
La radio, tôt le matin. Particulièrement Cité Rock Détente.
Les végétaliens, diététiciens, obstétriciens

Les chandails de laine, spécialement sur les autres
La proximité constante de produits désinfectants
Certaines couleurs rappelant la condition humaine:
   le blanc crème, le brun, le vert forêt

Les livres de psychologie infantile avec exemples et situations
Les commémorations du 11 septembre
Les publicités pour serviettes hygiéniques et tampons
Le Costco
Le canal météo
La salle d'attente au papier peint bleu-gris
Les gardiens de sécurité des grands magasins et
   des stations de métro
Les vitres sales des autobus de la ville

Le canal météo

ROSE FAIT SIGNER UNE PÉTITION CONTRE LA NOURRITURE DE LA CAFÉTÉRIA

Est-ce que nous avons perdu
le goût de vivre au point de
ne pas remarquer que les
saucisses goûtent le brûlé,
que le macaroni à la viande
ressemble à du brouet (mets
servi au Moyen Âge ayant
la consistance de purée pour
adultes édentés), que la salade
de fruits a l'air sortie du
garde-manger d'un bunker
post-nucléaire ?

Est-ce que Julie, l'anorexique,
peut vraiment retrouver
l'appétit devant un sandwich
écrasé par les mains potelées
de la préposée aux sandwichs ?

Oui, mais c'est gratuit,
dit soudain l'ange de la nuit.
Il vient d'arriver et ses parents
lui ont servi des festins
de biscuits soda dans sa tendre
jeunesse. (J'angoisse, juste
à penser au nombre de biscuits
soda mangés dans une vie
par un seul individu : disons
10 par jour fois 365 jours
fois 40 ans = 146 000 biscuits
chaque personne représente
donc une montagne de biscuits
soda en train d'être digérés...
et toutes ces montagnes
déambulent comme si de rien
n'était dans la rue...)

Nous voulons injecter du
colorant dans nos patates pilées.
Nous avons soif, soif.
Et nous préférons mordre
que parler.
Je signe : Rose

Née de parents-autruches, Cindy traverse la vie comme un funambule sur un fil de fer.

Sa mère est partie rejoindre son amant dans une autre province de cet immense pays en lui laissant la maison

et le fantôme de son grand frère jamais né.

Des vacances, a-t-elle signifié.

Son père n'a pas la tête à comprendre quoi que ce soit, dit Cindy.

Les problèmes sont enfouis sous le sable, et il s'obstine à croire à la famille dans sa tour d'ivoire à l'autre bout de la ville.

Mon père aime l'idée d'avoir une famille, il ne m'aime pas moi, répète Cindy.

Nous, ici, on la croit.

À treize ans, seule dans une maison, attendant sa tante qui vient faire le ménage tous les samedis, Cindy trace des lignes de sang sur ses bras avec un petit couteau. Le soleil fait chatoyer le duvet blond sur sa peau. Les adultes responsables pourraient croire qu'elle veut mourir s'ils la voyaient, mais personne ne la voit, et ce n'est pas ça. Le sang coule en dehors de la blessure et c'est beau. Une beauté noire, comme cette douleur qu'elle veut à la fois cacher et montrer. Les mains du cousin qui a abusé d'elle à onze ans sont encore imprégnées là. Elle se punit, entre autres parce que personne ne l'a puni, lu Quand son père a su, sa tête s'est enfoncée plus bas dans le sable. Sa mère s'est envolée au pays de l'oubli.

Jusqu'au moment où elle se rend d'elle-même à l'hôpital, après s'être coupée sur toute la longueur de sa cuisse,

le fantôme de son grand frère l'ayant à son tour abandor

Poème pour LuLa

Le surnom inventé de ma mère
A une odeur de rideaux en voile
Cramoisi
Flottant sur un paysage d'été
Elle change de maquillage tous les jours
Donnant un titre différent
À ses états d'âme
Matin indonésien
Après un repas de 25 mets
Brume d'automne
Un jour où les minutes
Se perdent dans l'oubli
Absence de doute
Si le soleil est haut dans le ciel
Et si nous rions de nous-mêmes
À l'entrée du musée
Jardin de nuit
Dans l'expectative d'une rencontre décisive
Bleuets délavés
Crinoline sucrée
Bois laqués
En voyage dans une ville
Construite sur l'eau

Le premier matin de mon arrivée
À l'hôpital de l'ennui glacé
Le vert est devenu gris
Comme un espoir qui ne sait plus
Où se mettre quand il pleut
Ce matin-là, elle a dit :
Parapluie doré
Nous roulions en voiture
Sur le boulevard damné
The Foo Fighters chantaient à la radio
Pour nous rappeler
La guerre et le passé
Pas de rires
Mais des apparitions de rides
Sur la peau

Baisers volés
Le lendemain
Parce qu'elle a vu son idole
À la télévision
Et moi qui pleurais
Essuyant mon nez
Avec la manche de mon manteau
Extraordinairement démodé

Rivière de gris
Elle demande comment je vais
Et je réponds en criant :
« Si bien ! Tu vois, j'ai passé la journée
À raconter mes exploits ! »

DEUX QUESTIONS

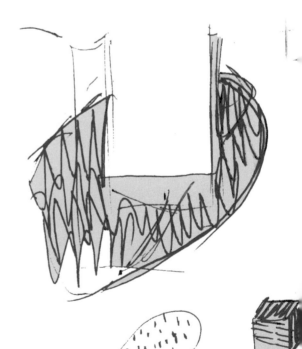

Pourquoi sommes-nous toujours si seules
Ma mère et moi
Dans la salle d'attente aux bruits suspects ?

Et pourquoi les spectacles de fin d'année
Sont-ils aussi inquiétants
Qu'un défilé de clowns sur la place Jacques-Cartier ?

Ici, on danse tristement, sans but
Le soir de l'Halloween
Trevor, le clou du spectacle, mâche sa gomme
Comme si c'étaient ses entrailles
Le décor est si transparent
Que l'on risque parfois de glisser
De l'autre côté des sourires
Les plus trafiqués

À la fin de son séjour
On salue puis on s'en retourne
Dans le monde
Sans regrets

Thérapie
Thérapie
Thérapie
Thérapie
Thérapie
Thérapie

Je me tai
Recroquevillée dans mes épaule
Comme en file au supermarch
Où j'ai peur d'être fusillé
Je retiens tou
Et mes ongles sont aspirés par-dedan

Lorsqu'elle parle de la réalit
Pour que j'y entr
Elle fait miroiter des choses aussi incertaine
Que l'amour ou l'amiti
Alors que moi je pens
À me briser les jambe
Pour ne plus avance

Stéphanie attend son tour dans le corrido
Je l'entends respire

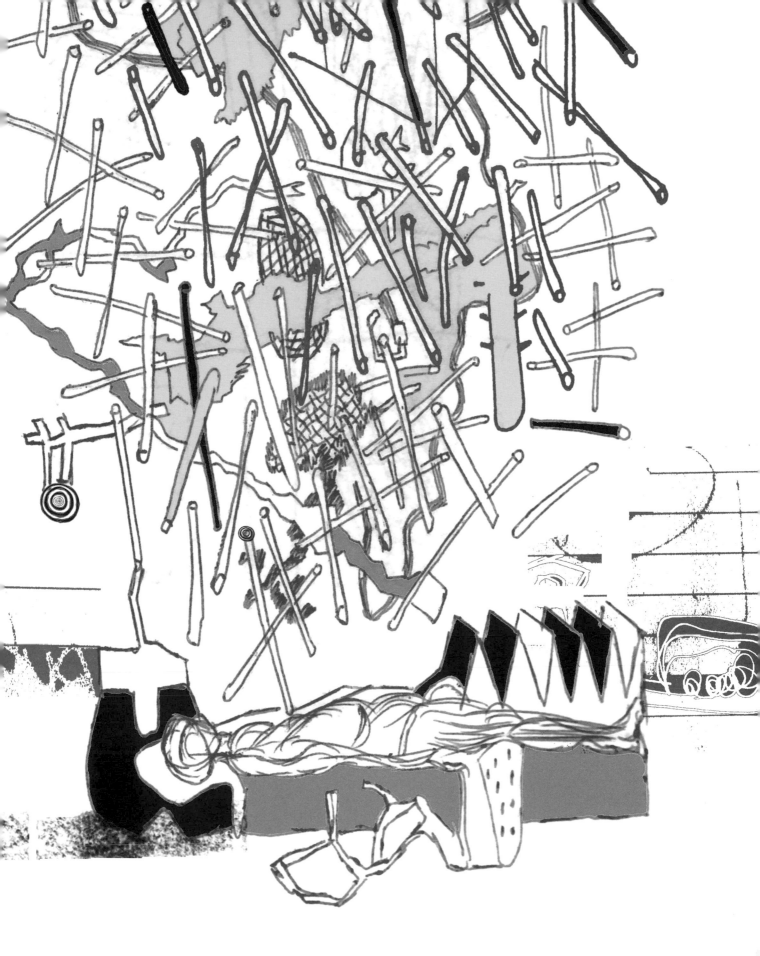

LES PARENTS NE SONT PAS

Il y a :

La psychiatre à la voix de fausse bonne sorcière et le verbe grandir qu'elle emploie à tout propos.

Sa réalité.

Le cousin de Cindy.

Les filles totalement et parfaitement parfaites de l'école privée la pire de toute la ville qui se moquent des cheveux de Rose, qui lui lancent des mots horribles, qui inventent un club anti-Rose, et qui finiront un jour mannequins aux jambes démesurées pour des magazines de second ordre. Qu'elles meurent de faim ! s'écrie Cindy, lorsqu'elle feuillette une de ces revues.

Un « puzzle médical » : Anna Nicole Smith, starlette déchue, portrait-robot de l'Amérique en phase terminale, elle faisait peur tellement elle n'avait pas l'air vraie. Imitant Marilyn Monroe (la seule vraie beauté), elle meurt, comme elle, de façon louche et trop jeune, et personne ne sait de quoi. Quelque temps auparavant, son fils Danny est mort d'une overdose dans sa chambre d'hôpital où elle venait d'accoucher d'une petite fille. Celle-là, à qui appartient-elle ? Un prince, ancien amant d'Anna Nicole, réclame la paternité.

La photographie d'une soldate tenant en laisse un homme couché par terre, les rumeurs qui courent, les filles qui disparaissent, les animaux aux yeux tristes dans les zoos.

SEULE SOURCE D'ANGOISSE
(nouvelle liste après une conversation avec Cindy)

Trevor qui tire des oiseaux dans la forêt de l'hôpital. On le voit par la fenêtre. Une vision de fin du monde. Après, il parle de la mort avec l'ergothérapeute en fabriquant un cadavre en papier mâché. (J'ai fait un chat en poterie, Cindy a pleuré parce qu'elle n'a aucun talent.)

Quelqu'un qui prétend que la troisième guerre mondiale a déjà eu lieu et qu'on s'en va vers la prochaine.

Les bébés qui pleurent sans arrêt, les bébés qui naissent et qu'on déclare être la huitième merveille du monde.

Les gens qui s'embrassent : comment peut-on être si près de quelqu'un, comment goûter à quelque chose de si pareil et de si différent à la fois, c'est comme si on se goûtait soi-même, un humain embrassant un autre humain, c'est si proche qu'on ne peut certainement plus respirer ?

Le mot « volaille » qui m'a toujours angoissée, agitant en moi des images de milliers de poulets, de poussins entassés dans des prisons grillagées — ce mot, encore plus maintenant que la grippe aviaire a lancé son offensive. Les volailles, volatiles, tous les oiseaux en quarantaine.

GROSSIR. GRANDIR. VIEILLIR.

(Etc. Cette liste est renouvelable chaque jour.)

Dans mon sac à dos Rose-Marie-Antoinette
(nom de couleur inventé par moi en hommage
à Sofia Coppola) :

Un poème écrit par Holden (un garçon sur Internet portant le nom du héros de *L'attrape-cœurs*) :

Pour un amour noir

Dans le calendrier de la fin

Je meurs avec toi

Aussi embrouillé

Que l'écran de télévision

Qui conspire contre nous

(Traduit par moi et copié sur un bout de papier)

Deux cadeaux de ma mère:

1. un bracelet à fleurs qui ont l'air d'être faites avec du crémage à gâteau.
Si beau. Une des choses qu'on a envie de manger.

2. Une carte postale représentant l'autoportrait aux perroquets de Frida
Kahlo. (Frida Kahlo peint des tableaux nés de ses rêves qui semblent avoir
poussé de la nuit jusqu'au jour sans personne pour les arrêter. Je l'aime.)

Pour un amour Non
Dans le calendrier de la fin
Je meurs avec toi
Aussi emprisonné...
Que l'écran de télévision
Qui conspire contre nous

(TRADUIT PAR MOI)

Une photo de moi à quatre ans, lorsque j'étais bien.
Avant l'école.
Avant toutes les choses qui sont arrivées à mon corps.
Avant la mort de mon grand-père, des oiseaux, des enfants-soldats...
Avant les coups de cadenas, avant la fin du monde.

Reviens, Rose !

je ne veux pas dormir ici

OUVRE, CINDY

dldldldld

dldldlld

hjhj hkkkkk

dldldldlddldldlld lklllklkk

100 COUPS DE BROSSE
1 ONCE DE BEURRE D'ARACHIDE
1/2 CAROTTE

HISTOIRE DE JULIE

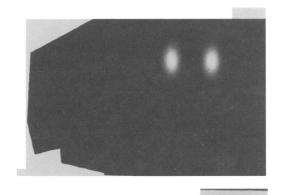

Je compte les nuits blanches

TU PENSES QUE JE DOIS MANGER ?

DÉLIRE: DES PATATES PILÉES, DU COKE, DES ANIMAUX DE ZOO...

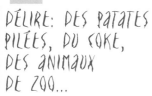

Moi, je trouve qu'elle a changé. WOW, aussi seule que Rose!

Autoportrait de Rose

Des oiseaux noirs nichés
Dans mes cheveux en broussaille
J'avale les paroles
Que personne n'entend

Les aspirantes à la vie héroïque
Les fées à la démarche de gazelle
Même les garçons blessés
Me regardent de loin
Un rideau d'os presque opaque entre nous

Comme la mort sourit dans ce portrait

Comme la mort sou

L'ange de la nuit

Il est arrivé pendant la nuit où je rêvais de paroles de chansons prononcées par mon chat. Un moment d'accalmie. Ma mère
Des sachets de bonbons multicolores scintillant au pied de mon lit.

Le matin suivant, il était là, dehors, fumant une cigarette dans son long manteau noir. Les yeux fermés. Son secret gardé

C'est toi, Rose ?

Tous les matins, il m'a attendue près de la balançoire rouge.
Juste ça.
Il m'a veillée comme un renard un peu perdu.

Aujourd'hui, je le rejoins pour la dernière fois : on ne veut plus de moi à l'hôpital. On dit que j'ai passé trop de temps ici.

Je ne sais pas.

Une partie de moi traînera toujours dans la forêt avec l'ange de la nuit.

tranquille sur le sofa du salon. Coppola tout chaud près de **moi**.

dans une cache de son corps.

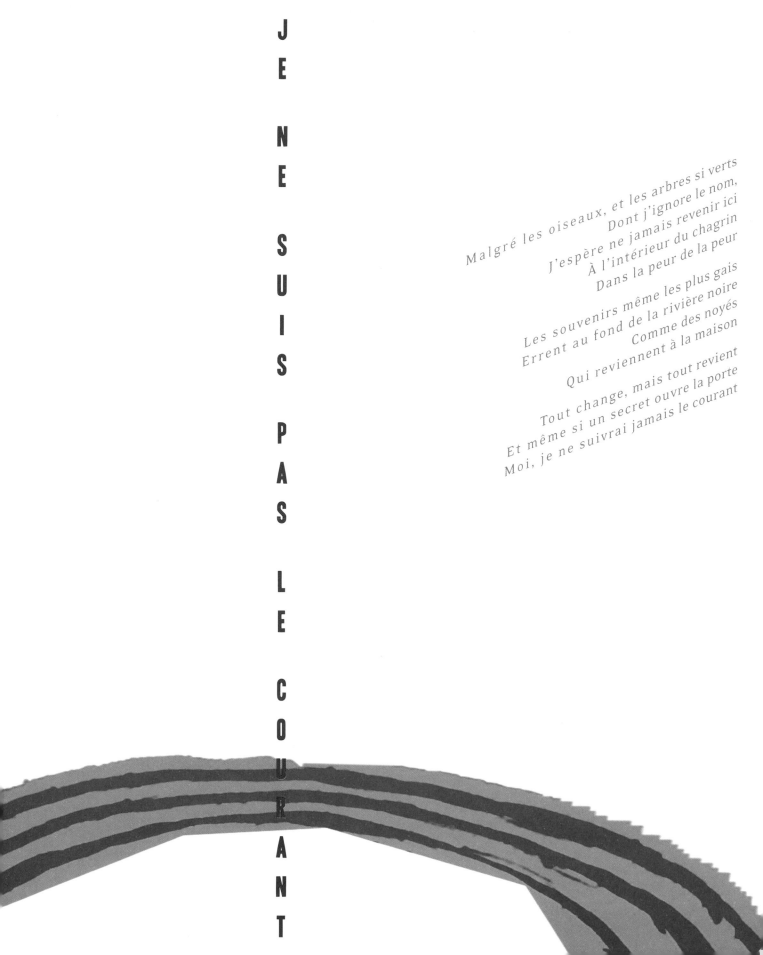

JE NE SUIS PAS LE COURANT

Malgré les oiseaux, et les arbres si verts
Dont j'ignore le nom,
J'espère ne jamais revenir ici
À l'intérieur du chagrin
Dans la peur de la peur

Les souvenirs même les plus gais
Errent au fond de la rivière noire
Comme des noyés
Qui reviennent à la maison

Tout change, mais tout revient
Et même si un secret ouvre la porte
Moi, je ne suivrai jamais le courant

COPPOLA RÊVE